Obra ganadora del Premio Hispanoamericano de Poesía para Niños 2015
El jurado estuvo conformado por Mercedes Calvo,
María Emilia López y Susana Ríos Szalay

Primera edición, 2016

Escudero Tobler, Laura
    Ema y el silencio / Laura Escudero Tobler ; ilus. de Roger
Ycaza. — México : FCE, FLM, 2016
    [40] p. : ilus. ; 24 × 18 cm
    ISBN 978-607-16-3970-7

    1. Poesía infantil 2. Literatura infantil I. Ycaza, Roger, il. II.
Ser. III. t.

LC PZ7   Dewey 808.068 E576e

Distribución mundial

© 2016, Laura Escudero Tobler, por el texto
© 2016, Roger Ycaza, por las ilustraciones

D. R. © 2016, Fundación para las Letras Mexicanas, A. C.
Liverpool 16; colonia Juárez, 06600 Ciudad de México
www.flm.mx

D. R. © 2016, Fondo de Cultura Económica
Carretera Picacho Ajusco, 227; 14738 Ciudad de México
www.fondodeculturaeconomica.com

Comentarios: librosparaninos@fondodeculturaeconomica.com
Tel.: (55)5449-1871

Colección dirigida por Socorro Venegas
Edición: Susana Figueroa León
Formación: Miguel Venegas Geffroy

ISBN 978-607-16-3970-7

Impreso en México • Printed in Mexico

EMA Y EL SILENCIO

Laura Escudero Tobler

ilustrado por
Roger Ycaza

f,l,m.
fundación para las
letras mexicanas

FONDO
DE CULTURA
ECONÓMICA

Existe un alfabeto del silencio,
pero no nos han enseñado
a deletrearlo.

Roberto Juarroz

Ema salta

Hay un silencio en el silencio
que guarda
la música del mundo.
Murmullos de mar
en el fondo oscuro
de las caracolas
—y en lo profundo—
sinfonía de peces
aguavivas
sombras de gaviota.

En la noche hay grillos,
una luna que a su modo canta.

Hay en el silencio un silencio
que guarda
la música del mundo:
la siesta borda
el camino a las amapolas
y a las libélulas.
Ema salta
del silencio
al mundo que flota
detrás de las palabras.

Abeja

La abeja indecisa
se pregunta
si violetas
o glicinas

De pronto,
flores de aromo:
redondas
peludas
amarillas.

La decisión es sencilla.

¡Son tan abejas!
Si tuvieran alas
serían
de la familia.

Ema y el árbol

En el roble
pequeños cuencos alojaban
frutos dorados.
En otoño cayeron.

Ahora cuelgan
tazas vacías de las ramas
los pájaros las llevan
a sus nidos
beben sol a montones
y cuentan a sus hijos
historias
de lo que brota de nuevo.
De la lluvia.

De la quietud
de las flores
abriéndose
mientras se abren.

De cuando las hojas tienen
sueños de barco
y esperan
vientos que las lleven
sobre acantilados de nubes
y bosques
de anémonas azules.

Ema trepa al árbol:
atrapa peces de luz
se hamaca en canoas pequeñas
cuenta caracoles
escucha el mar.

Mamboretá

Mamboretá mamboretá,
perá perá, ¿no e´?
Mamborecuá,
¿mamborecuá?
Palo palito e´
¿Será?
Mamboreté
¿Mamborequé?
Mamboretero
tamborilero.
Palo palito
palo palero
tamborilero
pata de tero
mambo del palo que va.
¿Que va?
Pata de palo que va
¿Que va?
Toc-toc
¿Que va?
Toc-toc
¡Mamboretá!

Ema con alas

Una mariposa
no es
lo que parece.

A veces
sus vuelos son guirnaldas
farolas en las flores
pañuelos
otras
sobre una cala
se vuelve palidez
y llora.

Una mariposa
es
de vez en cuando
tristeza
alegría
de vez en otra.

Ema
    copo de nieve
        flota.
           Desaparece.

Ema
    flor de cerezo
        se abre.
           Florece.

Lagartija

¡LagartijaZas!
Lagar-tija desco-lada
Cola desla-garti-jada
Cuerpo por aquí,
cola por allá.
Si las patas van:
¿la co-la bai-la so-la
o bus-ca otrá-mitá?

Ema y los pájaros

El sol hundió las manos
en la tierra
cavó hasta el fondo
y dejó
una semilla minúscula
negra
como la oscuridad más oscura
como clave de sol
o una duda.
La semilla brotó
fue mirlo
y voló.
A veces bajo el árbol
un signo de pregunta
picotea lombrices
y canta al cielo
(mirlo es eso,
pozo profundo
música del sol
una luz).

Las palomas nacieron
del viento
y de las sábanas.
Adoran
las meriendas en el patio
—un poco de esto,
otro de aquello—
en especial
las tazas de té
nidos de porcelana.

Un sábado llegaron
gorriones en remolino
y se quedaron
como brotan las violetas
o los tréboles
en bandadas.
Como migas de pan
bajo la mesa.
En bandadas
como las estrellas.

Ema colibrí
va y viene
(hay que demorar la mirada
para encontrarle
alas).

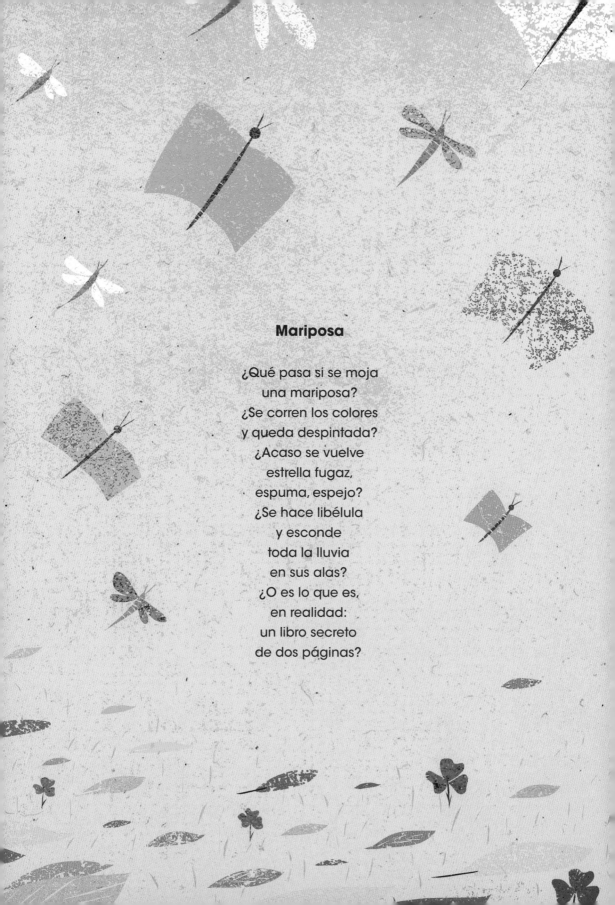

Mariposa

¿Qué pasa si se moja
una mariposa?
¿Se corren los colores
y queda despintada?
¿Acaso se vuelve
estrella fugaz,
espuma, espejo?
¿Se hace libélula
y esconde
toda la lluvia
en sus alas?
¿O es lo que es,
en realidad:
un libro secreto
de dos páginas?

Ema y los caminos

Un caracol
dibuja sobre muros
con espuma.
Abre grietas de luz
refugio
para hojas náufragas
en mares de viento,
huracanes de estrellas,
ciclones y tornados de planetas.

Sobre una baldosa
brilla
pequeña Vía Láctea.

Luna de jardín
ojo de sol.

Detrás
del universo
(nadie lo sabe)
hay un caracol.

Sobre la constelación
de hortensias
Ema baila veranos azules.
Trae racimos de lunas
en las manos,
lunas de cáscara suave.
Detrás de la tapia
asoman
limones del vecino
a veces se ocultan
en eclipses perfumados
y luego caen.

Gata peluda

La gata peluda
duda:
¿es oruga
despeinada,
o es
gata achicada
que
aparte de pelo,
de gata
no tiene nada?

Ema perpleja

Un hilván enhebra
el geranio
a la madreselva.
Sube la campanilla
y enlaza
el tallo con el hilo
que envuelve y pasa.
La araña tiende su espera
temblorosa.
Del grifo cae una gota.
      Cae una gota y otra.

Debajo
      en la charca
un sapo espera
quieto como una piedra.
Como piedra
      oscura y quieta.

(La araña cuelga
el sapo espera y
la piedra piedra.)

Ema
teje una tela
de nada
en el silencio
de la siesta.
Con agujas de sol
y manojos de viento.
Una tela tan liviana y clara
puede ser
un cielo.

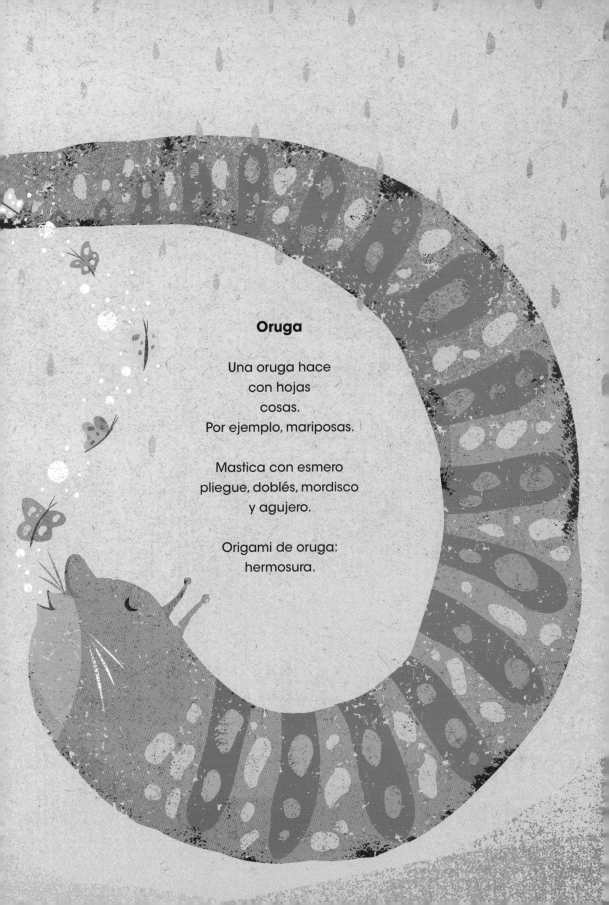

Oruga

Una oruga hace
con hojas
cosas.
Por ejemplo, mariposas.

Mastica con esmero
pliegue, doblés, mordisco
y agujero.

Origami de oruga:
hermosura.

Ema regresa

Es la hora en que el sol
sigue el vuelo de las golondrinas.
La luz escurre tenue
dentro de un reloj recién llegado.
Lo que viene
está donde no estuvo.

Sobre la almohada, un jardín:
mariposa,
hormigas,
una araña.

Sobre la cama:
pluma de pájaro,
caminos de caracol,
una flor.

Mamboretá no está
¿o está?

Ema regresa al silencio en el silencio
que guarda
la música del mundo:
    en una tetera,
    en los bolsillos,
    en el corazón oscuro de una naranja.

Ema trae entre las manos
semillas nuevas
para que broten nuevas las palabras.

Ema y el silencio, de Laura Escudero Tobler, se
terminó de imprimir y encuadernar en agosto de 2016
en Impresora y Encuadernadora Progreso,
S. A. de C. V. (IEPSA), calzada San Lorenzo, 244;
09830 Ciudad de México.

El tiraje fue de 8 000 ejemplares.